Illustration de la couverture :
Philippe Germain

Nouvelles Histoires drôles n° 31
Illustration de la couverture : Philippe Germain
Conception graphique de la couverture : Michel Têtu

Dépôts légaux : 1er trimestre 2001
Bibliothèque nationale du Québec
Bibliothèque nationale du Canada

ISBN : 2-7625-1358-8
Imprimé au Canada

Les éditions Héritage inc.
300, rue Arran
Saint-Lambert (Québec) J4R 1K5
Téléphone : (514) 875-0327
Télécopieur : (450) 672-5448
Courriel : info@editionsheritage.com

À tous ceux
qui aiment bien rigoler !

Le directeur de l'opéra dit à la cantatrice :

— Mais vous êtes bien imposante !

La cantatrice répond au directeur de l'opéra :

— C'est normal, je ne joue que dans des opéras bouffes.

•

Après une promenade à l'intérieur d'une maison, un petit moustique rentre chez lui.

— Maman, aujourd'hui j'ai eu beaucoup de succès.

— Comment cela ? demande la maman moustique.

— Eh bien ! je suis rentré dans une maison où il y avait beaucoup de monde et tous les gens m'ont applaudi...

•

— Je ne comprends pas, dit l'inspecteur des impôts venu vérifier la comptabilité d'une oisellerie. Pourquoi tous vos perroquets ont-ils le bec hermétiquement clos avec un élastique ?

•

L'enseignant se fâche après l'un de ses jeunes élèves :

— Comment se fait-il que tu sois toutes les trois minutes en train de regarder l'horloge ?

— Eh bien, monsieur, c'est que j'ai toujours peur que la sonnerie de la récréation ne vienne interrompre votre passionnante leçon.

•

— Demain, annonce l'instituteur à ses élèves, nous aurons la visite de l'inspecteur. Il faut qu'on lui fasse bonne impression. Alors, voilà ce que nous allons convenir. Quand je poserai une question, tout le monde, sans exception, lèvera la main pour répondre. Mais adoptons un code très simple. Ceux qui savent lèveront la main droite, et ceux qui ne savent pas lèveront la main gauche. Et moi je choisirai.

•

L'épouse de monsieur Durant vient de mettre au monde leur premier enfant. Elle se repose dans sa chambre, juste après l'accouchement, lorsque ce brave monsieur Durant vient la rejoindre.

— Tu as vu le petit ? demande-t-elle.

— Oui, répond Durant. Mais, tu sais, je t'aime quand même...

•

Deux snobinardes qui se détestent se rencontrent dans un cocktail :

— J'ai lu votre dernier livre, ma chère... Mais qui vous l'a écrit ?

— Et vous, ma chère, qui vous l'a lu ?

•

Le dentiste essaie de calmer le patient :

— Ce n'est pas la peine de crier... Je n'ai pas encore touché à votre dent !

— Non ! Mais vous êtes perché sur mon pied !

•

C'est une dame qui est très laide. Un jour, elle se promène à la campagne avec son mari et elle lui dit :

— C'est fou ce que j'aime la nature.

Et son mari lui répond :

— T'es vraiment pas rancunière.

•

Le P.D.G. d'une multinationale convoque l'un de ses cadres :

— Mon cher, votre itinéraire a été absolument exemplaire. De balayeur, vous êtes devenu coursier, chef de service, puis directeur général. J'ai le grand plaisir de vous nommer membre de notre conseil d'administration. Qu'en pensez-vous ?

— Oh, merci, papa!

•

Pendant la messe, l'orage éclate et la foudre tombe sur le clocher. Plus terrorisé encore que ses fidèles, le prêtre se retourne vers eux:

— Mes frères, dit-il, arrêtons la messe et prions!

•

— Comment se fait-il, demande un séminariste à un autre, que le supérieur t'ait accordé la permission de fumer pendant la prière? C'est pourtant interdit!

— Oh! C'est tout simple: j'ai demandé l'autorisation de prier pendant que je fumais.

•

Une enseignante demande à ses élèves de lui citer des noms d'animaux dangereux et féroces...

Alors Adrien répond :

— Le tigre, madame.

Claude ajoute :

— Le puma.

Et Michel dit :

— La panthère.

André lève la main :

— Oui, André ?

— Un crocolion, madame.

— Un crocolion ? Qu'est-ce que c'est que ça ?

— C'est un animal avec une tête de lion et une tête de crocodile de l'autre côté.

— Mais ça n'existe pas, André. C'est impossible. Une telle bête ne pourrait pas faire caca.

— Je sais, madame. C'est pour ça qu'il est si féroce...

•

Un ouvrier vient se plaindre à son chef de chantier :

— Ma brouette est complètement rouillée, j'en voudrais une neuve !

Toute la journée, elle fait quouick... quouick... quouick... et ça me fiche la migraine !

— Vous êtes viré, mon vieux !

— Bien, pourquoi ?

— Parce que votre brouette, elle aurai dû faire quouickquouickquouick.

•

Un missionnaire anglais s'est perdu dans un village reculé du pays des cannibales pour prêcher l'Évangile. Le matin, il n'était pas cru. Et le soir, il était cuit...

•

— Attention, madame ! dit le contrôleur du métro. Vous avez oublié un paquet sur la banquette.

— Ça ne fait rien ! C'est le casse-croûte de mon mari. Qui travaille aux objets trouvés...

•

Olive rencontre Marius sur la route. Il est en train de rouler devant lui un énorme tonneau.

— Qu'est-ce que tu fais avec ce tonneau, peuchère ?

— Je vais chez le docteur !

— Tu vas chez le docteur avec un tonneau ?

— Oui. J'y suis déjà allé cet hiver et il m'a dit de revenir cet hiver et de lui rapporter mes urines...

•

Le curé fait appeler Marius et il lui déclare tout de go :

— Votre petit ne peut pas faire sa première communion.

— Mais c'est épouvantable, dit Marius. J'ai tout préparé, le cierge, le costume, le gueuleton. Pourquoi refusez-vous de lui donner la communion ?

— Pensez un peu, dit le curé, que je lui ai demandé comment était mort notre Seigneur Jésus-Christ et qu'il n'a pas été capable de me répondre !

— Comment ? dit Marius. Il est mort ? Depuis quand ?

•

— Moi, raconte une brave mère de famille lors de la réunion du conseil de classe, je me suis fait une règle d'embrasser mes enfants chaque soir avant qu'ils aillent se coucher !

— Moi aussi ! fait une autre mère en soupirant. Mais le plus dur, c'est de me tenir éveillée jusqu'à ce qu'ils rentrent à la maison.

•

Un père de famille, inquiet au sujet de son fils, de plus en plus insupportable et mal élevé, décide de consulter un pédiatre.

— Le drame avec les enfants, lui explique le médecin, c'est que ce sont des imitateurs nés ! Malgré tous les efforts déployés par les adultes pour leur enseigner les bonnes manières, ils s'obstinent à les singer !

•

Un jeune volontaire qui veut servir dans la marine passe devant le conseil de révision. Le médecin lui demande :

— Vous savez nager ?

Et le gars répond :

— Pourquoi ? Vous n'avez pas de bateaux ?

•

— Confidence pour confidence, nous avons été ma femme et moi merveilleusement heureux pendant vingt ans !

— Et ensuite ?

— Et ensuite, nous nous sommes rencontrés...

•

Un voyageur épanoui monte dans un train à la gare de Montréal. Il a pris un porteur et celui-ci engage la conversation :

— Alors on part en vacances ?

— Non, fait le type, je vais en voyage de noces à Miami.

— Ah ! C'est bien, ça. Mais alors, votre femme vous attend là-bas ?

— Non ! elle est restée à la maison pour garder les enfants...

•

Un malade arrive en consultation. Il enlève son veston, sa chemise, sa camisole, son pantalon, ses chaussures. Et le docteur lui dit :

— Enlevez aussi votre caleçon...

Le gars s'exécute, le docteur l'examine attentivement et il lui déclare :

— Oh, là, là ! Mais vous êtes décalcifié !

— Mais c'est vous qui me l'avez demandé, docteur !

•

C'est un condamné à mort qui va être guillotiné. Une fois sur l'échafaud, il se penche vers le bourreau et lui murmure quelques mots à l'oreille. Alors, le bourreau se fâche :

— Ah non ! il fallait prendre vos précautions avant !

•

Le directeur convoque le chef du personnel :

— Je vous avais bien demandé de renvoyer cette secrétaire ?

— Oui, monsieur, je sais, à cause de son manque de mémoire.

— Et alors ?

— Je l'ai renvoyée. Seulement, elle a dû oublier qu'on l'avait mise à la porte. Alors, elle est revenue ce matin.

•

Martin est appelé par son directeur.

— Dites-moi, Martin, hier vous m'avez demandé votre après-midi pour aller voir votre docteur. Or, quelqu'un vous a vu au stade en train d'assister à un match de football. Je pense que vous êtes un menteur, Martin !

— Absolument pas, monsieur le directeur. Je ne suis pas un menteur.

Simplement, mon docteur jouait au football dans l'une des équipes.

•

Un client entre chez un épicier et il dit :

— Je veux un litre de vin.

— Blanc ou rouge ? demande l'épicier.

— Je m'en fous. Je suis aveugle.

•

C'est très bien, la télévision. Et puis c'est très moral. Les méchants sont toujours punis. Sauf aux actualités et dans les émissions politiques… Et puis c'est beaucoup mieux que la radio. Au lieu d'entendre les parasites, eh bien, on les voit.

•

Abraham flâne au marché aux puces et il vient de tomber en extase devant un magnifique crucifix du XIIe siècle.

— Combien ? dit-il au marchand.

— Deux mille !

— Trop cher ! dit Abraham. Je vous en offre la moitié...

— Impossible ! Réfléchissez : c'est un objet unique, la croix en bois de santal et le corps en vieil ivoire...

Alors, Abraham soupèse le crucifix et il dit :

— Et le bois seul, sans l'acrobate ?

•

Lucien a installé devant son magasin une grande pancarte : Ici 20 % de remise. Alors Samuel, qui tient un magasin presque à côté, accroche une pancarte un peu plus grande où il a écrit : ici 30 % de remise. Et puis arrive Jacques, qui est propriétaire du magasin situé entre les deux autres. Alors, il met une grande banderole au-dessus de sa porte :

Entrée principale.

•

Une dame confie à une amie :

— Figurez-vous qu'hier soir, j'avais invité quelques amis à une soirée et tout se passait le mieux du monde. À un moment donné, un de mes invités s'est mis à raconter des histoires, mais des histoires si osées que j'ai dû le mettre à la porte.

L'amie approuve chaudement :

— Comme je vous comprends ! À votre place, j'en aurais fait autant.

— Certes, mais il y a eu un ennui.

— Quoi donc ?

— En même temps que lui, tous mes invités sont partis pour écouter la fin de ses histoires !

•

C'est le directeur d'une grande entreprise qui demande à son employé de réserver un billet d'avion. L'employé revient au bout d'un moment et dit à son patron :

— Monsieur, à Air France, ils m'ont répondu que c'était complet. À Air Inter, complet également. À Air Liquide, ils m'ont traité d'imbécile.

•

Un policier arrête un automobiliste et lui demande de souffler dans l'alcootest.

— Jamais ! proteste le conducteur, outré. Je n'ai aucune raison de souffler là-dedans !

— Alors ! dit l'agent de police, je vais compter jusqu'à trois, et si à trois vous n'avez toujours pas obtempéré, je le ferai à votre place, et là, croyez-moi, vous allez perdre au moins cinq points.

•

Charlotte et son frère Arthur visitent un musée en Égypte.

Ils s'arrêtent devant une momie.

Charlotte demande :

— Que veut dire 3254 AV JC ?

Arthur répond :

— C'est sans doute le numéro

d'immatriculation de la voiture qui l'a renversée !

•

Une dame à son psychiatre :

— Docteur, mon mari croit que je suis folle parce que j'aime les crêpes !

— Mon Dieu, madame, je ne vois rien de maladif dans ce goût. Moi aussi, j'aime beaucoup les crêpes !

Alors, la dame épanouie :

— Vraiment ? Alors, venez chez moi, j'en ai plein les armoires, les tiroirs et les placards !

•

— Tiens ! dit l'entraîneur de boxe à son poulain. Prends ce fer à cheval, ça porte bonheur.

— Vous y croyez à ces trucs ?

— Bien sûr que oui. Surtout si tu le mets dans ton gant.

•

— Ainsi, vous désirez m'épouser, Gontran ? Mais vous ne me connaissez que depuis deux jours !

— Oh ! Ne croyez pas ça ! Il y a dix ans que je travaille à la banque où votre père a son compte.

•

Le bateau va couler. Le capitaine rassemble l'équipage et il demande :

— Y en a-t-il un parmi vous qui soit vraiment capable de prier avec ferveur ?

— Moi, capitaine, répond un homme en s'avançant.

— Parfait, dit le capitaine. Que tous les autres mettent les ceintures de sauvetage. De toute façon, il en manque une...

•

L'invitée demande à la maîtresse de maison :

— Je ne comprends pas pourquoi vous avez couvert l'aquarium d'un linge ! Nous ne pouvons plus voir vos si jolis poissons !

— Ça ne fait rien ! L'essentiel, c'est qu'ils ne s'aperçoivent pas qu'il y a un plat d'anchois pour souper. Ils sont tellement susceptibles !

•

La Cadillac du pape arrive devant le building des Nations unies à New York au milieu d'une foule considérable. Sur le trottoir d'en face, noyé dans la foule, un petit Juif dit à un de ses coreligionnaires :

— C'est une bonne affaire ! Est-ce que tu savais qu'ils ont commencé avec un âne ?

•

Le cargo arrive en rade de Marseille. Le capitaine jette un coup d'œil dans le poste d'équipage et il crie aux matelots :

— Vous avez fini votre courrier ?

— Non, pas tout à fait! répondent les gars.

— Bien alors, dépêchez-vous, parce que je vais jeter l'ancre.

•

Grosbêta se rend chez une dame pour réparer sa sonnette.

— Mais vous deviez déjà venir hier! lui dit la dame.

— Je suis venu, madame, et j'ai sonné pendant cinq minutes, mais personne n'a répondu!

•

Madame de la Rochellière vient d'engager un nouveau valet de chambre. Elle lui explique comment il doit se comporter, comment faire le service, etc. Elle ajoute d'un ton sévère :

— Et notez bien que le petit déjeuner se sert tous les matins à huit heures!

— Très bien, madame, lui rétorque le valet. Mais si je suis en retard, ne m'attendez pas, commencez sans moi!

•

Au bureau des pompes funèbres, le vendeur compatissant dit à la veuve :

— Je connaissais fort bien votre mari, madame, c'était un homme charmant.

Et la veuve de répondre avec une lueur de réconfort dans les yeux :

— C'est vrai ? Oh, alors vous allez bien me faire une petite réduction ?

•

Un crétin trouve un pingouin dans la rue. Il s'adresse à un agent de police et lui explique la situation :

— Vous feriez bien de l'emmener au zoo.

Le lendemain, l'agent revoit le crétin, toujours accompagné du pingouin. Il l'accoste en lui demandant :

— Vous ne l'avez donc pas emmené au zoo ?

— Si, si. Il a adoré. Aujourd'hui, je l'emmène au cinéma !

•

Un type invente le solvant universel. Il est fou de bonheur. Il chante. Il sait qu'il va faire fortune. Mille industriels se disputent sa découverte. Et pourtant notre homme finit dans le ruisseau... Pourquoi ? Eh bien, son solvant est si puissant que l'on n'a jamais pu trouver un récipient qui résiste.

•

Un historien suisse vient de faire une découverte importante. Guillaume Tell, contrairement à la légende, n'eut pas qu'un seul fils. Il en eut trois. Mais les deux aînés n'ont guère fait parler d'eux. Ils sont morts à l'entraînement.

•

Un Suisse de passage à Paris téléphone aux renseignements :

— Je voudrais savoir combien de temps met le T.G.V. pour aller à Genève.

— Une petite minute, monsieur !

— Merci, mademoiselle !

Et il raccroche.

•

Un bègue et un bossu se font photographier.

— Fais attention de ne pas bégayer, dit le bossu, ou alors la photo sera floue...

— Et toi, répond le bègue, tu... tutu... ferais meu... mieux de rentrer ta... tata... bobosse, autrement on... on pou... poupou... pourra pas fer... fermer l'album !

•

Un gars très maigre mange dans un restaurant miteux. Un garçon crasseux s'approche de lui et lui demande :

— Comment avez-vous trouvé le bifteck ?

— Tout à fait par hasard, dit-il, en soulevant une frite...

•

Le petit Martin revient de l'école. Il arrive chez lui et sa mère lui dit :

— Mais qui donc t'a mis un œil au beurre noir ?

— C'est un garçon d'une autre classe !

— Nous allons aller voir le directeur. Dis-moi, pourrais-tu le reconnaître, ce garçon ?

— Oui, oui, maman, pas de problèmes. J'ai son oreille dans la poche de mon pantalon.

•

Un Russe vient de passer six mois aux États-Unis, et à son retour, il ne tarit pas d'éloges sur le pays de l'oncle Sam.

— C'est sublime ! dit-il à un ami. L'Amérique, c'est vraiment extra ! On roule dans de très grosses voitures avec bar et télévision et cela est gratuit. On mange dans les meilleurs restaurants. Pour rien ! Les diamants, les fourrures, on te les offre !

— Il t'est arrivé tout ça là-bas ?

— Pas à moi, mais à ma sœur !

•

L'avocat à la dame :

— Vous voulez divorcer ? Bien ! Sous quel régime êtes-vous mariée ?

La dame à l'avocat :

— Sous le régime dictatorial !

•

Elle : Ce n'est pas bien ce que l'on a fait...

Lui : On va recommencer... ça sera peut-être mieux...

•

Sur un chantier, un ouvrier tombe du cinquième étage et se retrouve allongé dans la rue.

Un attroupement se forme, et la police arrive. L'agent demande :

— Qu'est-ce qui se passe ?

Alors, l'ouvrier qui gît au sol

entrouvre les yeux et murmure d'une voix faible :

— Je n'en sais rien. J'arrive.

•

Un homme retrouve un de ses amis assis dans un fauteuil roulant.

— Qu'est-ce qui t'est arrivé ?

— Un accident de voiture. Les médecins m'ont dit que je resterais paralysé à vie.

— C'est épouvantable ! Mon pauvre vieux !

L'autre lui demande de se pencher et lui dit à l'oreille :

— Ne le dis à personne, mais je n'ai rien : je simule pour toucher les assurances, et ça marche bien.

— Et toute ta vie, tu vas rester dans cette chaise ?

— Bien sûr que non. La semaine prochaine, je pars en pèlerinage à Lourdes...

•

C'est un couple d'imbéciles qui remonte de la Floride.

Il s'arrêtent au bord de la route et la femme dit :

— Regarde voir, dis donc, des gens ont oublié un barbecue. Il est encore neuf, il n'a jamais servi. On va le rapporter chez nous à Montréal.

Ils ouvrent leur coffre et mettent le barbecue dedans. Ils arrivent à la douane. On leur demande s'ils n'ont rien à déclarer.

— Rien, répond le mari.

La femme intervient :

— Mais si, dis-lui, après tout. On a trouvé un barbecue.

— Ah oui ? dit le douanier. Faites voir.

Alors, ils ouvrent le coffre et le douanier dit :

— Ah, c'est vous qui avez piqué le radar !

•

Un cancre est tellement nul qu'il rate tous ses examens. Pour tout dire, à la visite médicale, il a même échoué à son examen d'urine !

•

Deux curés bavardent et l'un dit à l'autre :

— Verrons-nous ça, nous, le mariage des prêtres ?

— Nous, non ! Mais nos enfants... Oui !

•

Une dame pour qui l'électricité n'a aucun secret se rend dans un magasin de bricolage et demande une prise de courant.

— Mâle ou femelle ? questionne le vendeur.

— Crétin, c'est pour une réparation. Je ne vais pas faire de l'élevage !

•

Un dentiste dit à un patient :

— Votre canine est morte. Je vous fais une couronne ?

— Non, merci, dit l'autre. Enterrez-la très simplement...

•

À Genève, le 1er août, au bal de la Fête Nationale, un adolescent un peu timide, dans les quinze ans, invite à danser une grande dame un peu forte. C'est la seule qui ne soit pas encore entre de bonnes mains.

— Madame, voulez-vous danser avec moi ?

— Mais enfin, mon petit, tu plaisantes ! fait la dame offusquée. Je ne danse pas avec un enfant !

— Oh, pardon ! dit le garçon en regardant le ventre de la dame. Je n'avais pas vu que vous étiez enceinte !

•

Un enfant va à l'opéra pour la première fois écouter la *Tosca*. Très intéressé et curieux, il demande à son grand-père qui l'accompagne :

— Qui est le grand monsieur qui tourne le dos au public ?

— C'est le chef d'orchestre !

— Pourquoi menace-t-il avec son bâton la dame qui est sur la scène ?

— Il ne la menace pas !

— Ah bon ! Alors pourquoi crie-t-elle ?

•

Un chauffeur de camion français qui s'est arrêté dans un petit restaurant, au bord de l'autoroute, voit débarquer un routier anglais.

— Dis donc, fait le Français, quel brouillard !

— Ce n'est rien, dit l'Anglais, à côté de celui que nous avons chez nous.

— Tu veux rire ? Vous avez plus de brouillard que cela en Angleterre ?

— Sûrement. On avance tellement à tâtons, là-bas, que tous les panneaux de signalisation sont en braille.

•

Un camionneur en colère pénètre dans un restaurant.

— Ça fait une demi-heure, dit-il, que je tourne en ville pour trouver un endroit pour me garer. Pourquoi n'avez-vous pas de stationnement ?

— Vous croyez, répond le patron, que si je possédais un terrain de stationnement dans ce quartier, j'aurais besoin de me casser la tête à tenir un restaurant ?

•

— Où étais-tu, mon chéri ? demande une dame à son garnement de fils.

— Dans le jardin à jouer avec mon lance-pierre. Au fait, toi et papa qui vous demandiez quand vous alliez faire connaissance avec nos nouveaux voisins les Durand, je peux vous dire que c'est pour dans deux minutes.

•

Rose-Marie a rendez-vous avec son fiancé au buffet de la gare. Dès qu'il arrive, elle lui tend le bracelet qu'il lui a offert et lui dit :

— Je vous le rends. Maman m'a dit que je ne devais pas accepter de cadeau de ce genre !

— Mais pourquoi ? Vous direz à votre mère que je ne pensais pas mal agir en...

— Oh ! Inutile d'insister, maman l'a fait expertiser...

•

Le journaliste au boxeur « poids super lourd » :

— Quel a été votre poids le plus élevé ?

— 160 kilos.

— Et votre poids minimum ?

— C'est vraisemblablement à ma naissance. Selon ma mère, je pesais 3,9 kilos.

•

Un client appelle le serveur :

— Il y a une mouche qui se noie dans ma soupe !

— C'est encore le chef qui a servi trop de soupe ! D'habitude, elles arrivent à mettre le pied au fond du bol.

•

Une très grosse dame monte sur la balance et s'écrie de joie et de fierté :

— Chéri ! J'ai perdu 100 grammes !

— Fantastique, merveilleux ! rétorque le mari. C'est un peu comme si je voulais acheter une Ferrari et que le vendeur m'accordait 10 dollars de rabais.

•

On vient d'amener au poste de police un type ayant à son actif un nombre incroyable d'accidents de la route et d'infractions en tous genres. Très énervé, le policier s'adresse à l'automobiliste :

— Mais enfin, vous rendez-vous compte qu'en trois mois, outre les mauvais stationnements, les excès de vitesse et le reste, vous avez renversé 19 personnes ?

— Non, vous vous trompez, j'en ai renversé 17 seulement, car il y en a une que j'ai renversée trois fois.

•

Nous sommes dans un quartier de banlieue.

La vie s'écoule, paisible, lorsqu'une voiture, qui arrive trop vite, renverse monsieur Lévy. Tout de suite c'est l'attroupement. Un docteur qui est présent constate la mort de monsieur Lévy.

— Il faut prévenir madame Lévy, demande le docteur.

Mais bien évidemment, personne

ne veut se charger de cette besogne. Lorsque arrive le petit Laurent.

— Moi, dit le petit, je connais madame Lévy. Je vais la prévenir.

Et le petit Laurent se présente chez madame Lévy.

— Bonjour, madame veuve Lévy.

— Mais je ne suis pas veuve, mon petit!

— Ah oui ? Qu'est-ce que vous voulez parier?

•

Un homme dans le désert est au bord de l'épuisement. Il est en train de mourir de soif. Soudain, en haut d'une dune de sable, il voit une boutique. Il rampe péniblement et arrive devant la porte.

— Donnez-moi un verre d'eau, par pitié.

Le patron de la boutique lui répond:

— Je suis désolé, monsieur, mais je n'ai pas d'eau. Ici, on ne vend que des cravates. Vous voyez, là-bas, à l'horizon ? Il y a un bar.

Le pauvre type repart, usant ses dernières forces, en se traînant. Une heure plus tard, il arrive devant le bar. Le serveur est sur le pas de la porte.

— Donnez-moi un verre d'eau par pitié.

Le serveur le regarde et lui répond, impassible :

— Impossible, monsieur. On ne sert pas les gens sans cravate.

•

Un nigaud va prendre le train.

Avant, il va se choisir un bouquin dans la librairie de la gare.

— Madame la libraire, donnez-moi un livre.

— Oui, monsieur. Quel auteur voulez-vous ?

— Comment de quelle hauteur ? Oh, ça n'a pas d'importance, pourvu qu'il entre dans le wagon !

•

Dans un repas, un petit garçon est assis à côté de sa grand-mère :

— Dis, mamie.

— Les enfants ne doivent pas parler à table ! dit-elle.

— Mais mamie !

— Tais-toi et mange proprement !

Au dessert, la grand-mère se penche vers son petit-fils :

— Que voulais-tu me dire, mon chéri ?

— Qu'il y avait un gros ver de terre dans ta salade.

•

L'instituteur demande au petit Paul :

— Quel est le futur de « Je bâille » ?

— Je dors, monsieur.

•

À la rentrée des classes, une mère qui mène pour la première fois son jeune garçon à l'école dit à l'institutrice :

— Je vous demande d'être gentille avec lui, car cet enfant est très sensible. Ne jamais le frapper, dans le cas où il commettrait une espièglerie. Il sera préférable de gifler son voisin de classe, ainsi, il sera impressionné et après il sera tout à fait sage.

•

Sur une dangereuse route de montagne, un automobiliste est arrêté par un motard :

— Méfiez-vous, votre pare-chocs arrière est plié et touche presque par terre !

L'homme descend de sa voiture, regarde l'arrière et commence à pleurer à chaudes larmes.

— Allons, ce n'est pas grave, ne vous mettez pas dans des états pareils !

L'homme sanglote de plus belle :

— Ce n'est peut-être pas très grave pour vous, mais pour moi, j'aimerais bien savoir où sont passés ma femme et mes enfants qui se trouvaient dans la roulotte !

•

Dans un avion qui vole à 9 000 pieds, l'hôtesse circule dans le couloir et tout à coup, on entend la voix du commandant de bord, qui n'a pas coupé son micro, dire :

— Bon, tout va bien, je mets le pilote automatique, je vais aux toilettes.

L'hôtesse, rougissante de honte en constatant que le micro est branché, se précipite dans la cabine de pilotage pour avertir le pilote. Un passager alors lui dit :

— Ne vous pressez pas, il a dit qu'il mettait le pilote automatique avant.

•

Une brave paysanne, un peu bigote, va trouver le curé du village et lui fait part de son inquiétude :

— Mon petit Antoine est parti pour Montréal. Il a trouvé une place de manœuvre à mille dollars par mois. Mais dites-moi, monsieur le curé, croyez-vous qu'il pourra vivre une vie chrétienne dans cette cité de perdition ?

— Mon Dieu, madame, réplique le curé, avec un salaire pareil, je ne vois pas ce qu'il peut faire d'autre !

•

Un guide fait visiter un château et s'écrie tout à coup à l'intention des touristes :

— Attention à la marche !

Puis plus bas, il dit à l'un des visiteurs qui se trouve près de lui :

— D'habitude, je ne dis rien, mais aujourd'hui, je n'ai pas envie de rigoler.

•

Une mère de famille, parlant de ses enfants, dit à l'enseignante :

— Mon premier est grippé, mon second est grippé, mon troisième est grippé...

— Et votre tout ?

— Ma toux est contagieuse. C'est pour ça qu'ils sont tous grippés.

•

Mon premier est une boisson. Mon deuxième est une boisson. Mon troisième est une boisson. Mon tout est une boisson.

Réponse : Café au (eau) lait !

•

Une crotte et une fleur discutent. La fleur dit :

— Moi, je sens bon comparée à toi. Tu sens tellement mauvais !

Une vache arrive et mange la fleur.

La crotte lui dit :

— À tout à l'heure !

•

C'est un fakir extraordinaire qui a un don d'hypnotisme absolu. Un jour, il donne un spectacle dans un grand music-hall.

Il lève les bras et dit au public :

— Dormez...

Et toute la salle dort. Il ordonne :

— Réveillez-vous...

Et toute la salle se réveille.

— Riez...

Et tous les gens se mettent à rire.

Un soir qu'il est grippé, en plein milieu de son spectacle, il éternue !

Il a fallu une semaine pour nettoyer la salle.

•

Un élève a été puni, gardé en retenue. À midi, son père l'interroge :

— Pourquoi le maître t'a-t-il puni ?

— Parce que, explique le gamin, j'avais peint en vert les boules de billard.

— C'est tout ?

— Oui, papa, je te le jure.

— Je vais lui dire deux mots à ton instituteur... C'est scandaleux.

Le maître répond alors :

— Vous allez tout de suite comprendre ma sévérité.

Il fait un signe à une fillette :

— Billard ! Viens faire voir les boules que tu avais mises dans tes cheveux au monsieur.

•

Lu ce conseil dans un grand magasin, au rayon « pêche » : « Si vous n'avez pas la patience d'attendre une dizaine de minutes la venue d'un vendeur, surtout renoncez à la pêche à la ligne, car il vous faudra attendre plusieurs heures pour attraper un poisson. »

•

Le maître de Toto lui demande :

— Conjugue avec moi : Je dis...

— Vendredi, samedi, dimanche.

•

Quel est le comble pour un sapin ?

Réponse : C’est de perdre la boule !

•

Quel est le comble pour le petit Chaperon rouge ?

Réponse : C’est d'avoir une faim de loup !

•

Madame Martin prend des cours de conduite afin d’obtenir son permis. Rentrée chez elle, elle s’adresse à son mari.

— Dis-moi, qu’est-ce qui me paraîtra le plus dur, le jour où j’aurai mon permis ?

Alors monsieur Martin, sans quitter des yeux son journal :

— Les arbres !

•

Deux types sont affalés sur le comptoir d’un bistrot :

— J’en ai marre... Ma femme n’arrête pas de courir les bars !

— Ah bon ? Elle boit ?

— Non ! Elle me cherche !

•

Quand les enfants se rendent-ils compte qu'il y a des invités à la maison ?

Quand ils entendent leur mère rire aux plaisanteries de leur père !

•

Un père parle religion avec son fils :

— Vois-tu, mon enfant, dans la vie, il faut savoir remercier Dieu de tout ce qui nous arrive !

À ce moment, un pigeon qui passe s'oublie sur la tête du père. Son fils se met à rire :

— Alors, de ça aussi il faudrait remercier Dieu ?

— Oui, de ça particulièrement. Il faut remercier Dieu de ne pas avoir donné d'ailes aux vaches !

•

Deux dames d'un certain âge évoquent leurs souvenirs de jeunesse pendant la guerre.

— Ma chère, ce fut terrible ! Nous venions à manquer de tout ! Avec toutes les restrictions, j'avais tellement maigri que je fus obligée d'emprunter les bretelles de mon mari pour tenir ma gaine.

•

C'est un brave curé qui, en chaire, termine son sermon.

— Voilà, mes amis, la fin de ce sermon. Vous vous demandez pour quelles raisons je porte un pansement au menton ? C'est tout simplement parce que ce matin, tout en me rasant, je me suis concentré sur mon sermon et bien sûr je me suis coupé.

Alors un fidèle qui est assis à côté de la chaire se lève et dit à l'intention du curé :

— Dimanche prochain, je vous

conseille de vous concentrer sur votre menton et de couper votre sermon...

•

Le juge : Pourquoi avez-vous volé un complet neuf ?

Le prévenu : Pour pouvoir me présenter décemment devant la justice de mon pays !

•

— Je vais vous faire faire une affaire, dit le directeur de la galerie de peinture. Je vous laisse ce tableau que vous admirez à moitié prix du catalogue.

— D'accord, dit le client, mais combien vaut votre catalogue ?

•

Deux amis discutent sur la place du village.

— Oh ! Dominique, le docteur m'a dit que la maladie que j'avais était héréditaire.

— Dans ce cas, demande-lui d'envoyer sa facture à ton père.

•

— Mon patron, gémit une jeune secrétaire, m'avait promis que si je faisais du bon travail, il m'offrirait un vison.

— Et tu l'as eu, ton vison ?

— Oui, mais maintenant, chaque matin, je suis obligée de nettoyer la cage.

•

Je suis noir, je deviens rouge et je meurs gris. Qui suis-je ?

Réponse : Le charbon !

•

Deux chiens se promènent. Tout à coup, l'un d'eux se met à frétiller.

— Tu as vu ? Un reverbère neuf ! Ça s'arrose !

•

Quel est le point commun entre le marteau, la chemise et la semaine ?

C'est que le marteau a un manche, la chemise a deux manches et la semaine a dimanche !

•

La mère de jumeaux dit à son mari :

— Je n'ai pas trouvé de gardienne pour que nous allions au bal masqué. Alors, j'ai loué deux costumes de kangourous. On mettra chacun un bébé dans la poche.

•

Une dame demande à sa petite bonne :

— Alors, Marie, qu'allez-vous faire maintenant que vous avez gagné le gros lot à la loterie ?

— Je prendrais bien madame à mon service.

•

Dans la rue passe un gros monsieur, mais alors un très gros monsieur bedonnant. Deux petits garçons l'observent et l'un dit à l'autre :

— Va lui dire que s'il te donne 100 dollars, tu lui renoues son lacet de chaussure.

— Mais son lacet n'est pas dénoué ! s'étonne l'autre gamin.

— Je le vois bien, idiot, mais comment veux-tu qu'il le sache, lui, avec son ventre ?

•

La maman en colère après son fils :

— Martin ! Je t'interdis d'aller chez Robert. Ton copain est trop mal élevé !

Alors, le petit Martin :

— Dis, maman, comme je suis bien élevé, Robert peut venir ici, alors...

•

Deux pères discutent de l'avenir de leurs enfants respectifs.

— Mon fils, dit le premier, est un brillant intellectuel. C'est bien simple, chaque fois qu'il nous écrit, je dois ouvrir le dictionnaire.

— Moi, c'est pareil, avoue son copain. Chaque fois que notre fils nous écrit, je dois ouvrir mon chéquier !

•

C'est une dame très chic qui entre dans une boutique de mode rue du Faubourg Saint-Honoré à Paris. Elle regarde les divers modèles mais ne trouve rien à son goût, lorsque soudain elle réalise que la vendeuse porte une robe superbe.

— Votre robe est splendide. C'est exactement ce qu'il me faut ! Quel est son prix ?

— Cette robe vaut 9 000 dollars, madame.

— Neuf mille dollars ! C'est un peu cher. Et dites-moi, vous n'avez rien en dessous ?

Alors la vendeuse en rougissant :

— Non. Les sous-vêtements ne viennent habituellement pas avec la robe !

•

Réunion au ministère de la Santé sur le financement du bien-être social. Le ministre se penche à l'oreille du directeur et lui demande :

— Combien avez-vous de fonctionnaires qui travaillent dans votre organisme ?

— Un sur cinq, répond l'autre.

•

Un poseur de moquette regarnit entièrement le sol d'une maison. Ayant enfin terminé, il contemple son travail. Il s'aperçoit qu'il y a une bosse au centre de la pièce. Comme il a perdu son paquet de cigarettes, il pense que plutôt que de tout refaire, il est préférable de l'écraser, ce qu'il fait avec le marteau et les talons. Plus une trace. Il est satisfait mais intrigué, car il vient de retrouver son paquet de cigarettes. La maîtresse de maison entre et demande à l'ouvrier :

— N'avez-vous pas vu mon cochon d'Inde ?

•

La femme de Gaston appelle son mari.

— Gaston ?

— Ouais, qu'est-ce que tu me veux encore ?

— L'autre jour, j'ai acheté un livre, je ne le retrouve plus. Tu te souviens, celui intitulé *L'Art de devenir centenaire* ? Qu'est-ce que tu en as fait ?

— Je l'ai jeté.

— Tu as du culot, je l'avais payé de mes sous ! Pourquoi l'as-tu jeté ?

— Parce que j'ai vu que ta mère commençait à le lire !

•

Deux chauffeurs de bus discutent :

— Tu sais que notre collègue a été licencié ?

— Vraiment ? J'en suis désolé. Et pour quelle raison ?

— Eh bien, il est entré dans le bureau du patron sans frapper...

— Rien que pour ça, c'est un peu

excessif comme motif de licenciement, tu ne trouves pas ?

— Oui, mais... c'est qu'il est entré avec le bus.

•

Un petit garçon de sept ans a trouvé la meilleure définition des parents :

— Ce sont des gens qui vous achètent un tambour et qui vous disent : « Maintenant, amuse-toi bien, mais ne fais pas de bruit. »

•

— Que veux-tu pour ton anniversaire ? demande-t-on à un petit gourmand.

— Une énorme boîte de chocolats, et que tu invites mon copain Pierre pour qu'il me regarde les manger.

•

— Mais je vous reconnais, vous ! La semaine dernière, vous étiez aveugle et aujourd'hui vous voilà manchot !

— Eh oui, ma petite dame ! j'ai recouvré la vue et les bras m'en sont tombés !

•

Un pêcheur voit arriver le garde-pêche :

— Dites donc ! Vous ne savez pas lire ? Pêche interdite !

— Mais je ne pêche pas ! Je fais nager un ver !

•

Le garde-pêche sort son carnet et dresse un constat d'infraction. Le pêcheur s'indigne :

— Mais pourquoi donc ?

— Outrage à la pudeur ! Votre asticot ne porte pas de maillot !

•

À Venise, un homme vient de mourir. Le représentant des pompes funèbres propose à la veuve un enterrement de première classe.

— Trop cher, dit-elle. Deuxième classe, trois millions de lires... Impossible. Troisième, quatrième, trop cher. Il ne reste que la cinquième classe à cent mille lires. Mais qu'est-ce que je vais avoir pour ce prix-là ?

— La gondole avec le mort et vous-même et le reste de la famille qui suivra à la nage.

•

Un homme dit à un de ses amis :

— Dans un avion, hier, j'étais assis à côté d'une dame et son bébé. L'hôtesse est venue et a dit à la mère : « Madame, votre bébé est mouillé, je vais vous le changer. » Quand elle l'a ramené, je n'ai rien dit, mais j'ai bien vu que c'était le même.

•

Deux amis discutent :

— Tu es enfin sorti de prison suite à ton grave accident qui a fait cinq victimes ? Tu as obtenu une remise de peine ?

— Oui, j'ai été libéré pour bonne conduite.

•

Un jour, un curé se met en colère devant ses ouailles, très surprises. Il commence son sermon en disant :

— Mes enfants, nous nous réunissons ici depuis plusieurs jours pour prier le bon Dieu de nous envoyer de la pluie. Mais comment voulez-vous, hommes et femmes de peu de foi, que Notre Seigneur nous exauce ! Pas un seul d'entre vous n'a apporté de parapluie !

•

L'abbé Fernand est un brave curé de campagne apprécié de tous. Il n'a qu'un défaut : c'est un obsédé de la bouteille, il boit du matin au soir ! Et sa gouvernante ne cesse de le rappeler à l'ordre.

— Ah ! Si vous ne buviez pas tant, vous seriez aujourd'hui évêque !

— Quelle importance ! répond le curé. Moi, quand je bois, je me prends pour le pape !

•

— Mon père, ne vous froissez pas si mon mari a quitté l'église durant votre sermon ! dit une paroissienne embarrassée à son curé.

— J'ai été surpris, je l'avoue, de sa désinvolture.

— Ce n'était pas de sa part la marque d'une quelconque réprobation, je vous assure ! Mon mari est tout simplement somnambule !

•

Une famille s'apprête à partir en vacances. Le petit garçon profite de l'atmosphère détendue pour montrer son affreux bulletin à son père. Ce dernier, extrêmement en colère, le réprimande fortement, et enfin ils partent. Sur la route, l'homme, nerveux, conduit très mal : il ne respecte pas les feux tricolores, la limitation de vitesse, dépasse dans un virage... Jusqu'à ce qu'un agent l'arrête. Il commence par énumérer les différentes infractions commises par l'automobiliste, puis, cherchant dans ses poches, s'aperçoit qu'il n'a pas de stylo et conclut :

— Vous avez de la chance. Je n'ai pas de stylo pour vous dresser un constat d'infraction. Je vous assure que si j'en avais eu un, vous n'y échappiez pas !

Alors le petit garçon, se penchant à la fenêtre et voulant se faire pardonner, dit en s'adressant à son père :

— Ne vous inquiétez pas, tiens, papa, j'en ai un stylo : c'était ton cadeau d'anniversaire !

•

Un homme est en train de boire un café et confie à son voisin :

— Hier, j'ai cru que j'avais enfin trouvé un moyen pour oublier la présence de ma belle-mère... Je suis allé au bistrot et j'ai bu comme un trou !

— Et alors ?

— Bien... Quand je suis rentré, je la voyais double !

•

— Moi, dit un industriel, je ne connais rien de plus agréable que de voir traîner mon nom dans la boue.

— Vous êtes comédien ? Chanteur ? Artiste ?

— Pas du tout : je suis le grand directeur d'une fabrique de pneus.

•

Un petit garçon à sa maman :

— Qu'est-ce que j'ai, maman ? Mes dents claquent comme des castagnettes.

— Ce doit être la grippe espagnole.

•

Un vendeur se présente devant une grande villa pour vendre une lamentable collection d'aspirateurs. Certes, il a l'habitude d'être éconduit, mais que voulez-vous, ce sont les risques du métier! Il cherche une sonnerie ou un interphone. En vain. Il décide de franchir la grille. Un peu plus loin, dans le parc de la propriété, il voit une pancarte :

« Attention ! Perroquet méchant ! »

« Grand bien lui fasse ! » pense-t-il, et sans hésiter, il va sonner à la porte... qui s'ouvre et alors, il entend un perroquet : « Attaque, Rex ! attaque ! »

•

Un chirurgien voit son patient qu'il a amputé de la jambe droite à son réveil. Il lui dit :

— J'ai deux nouvelles pour vous, une bonne et une mauvaise.

Le patient, résigné, lui dit :

— Dites-moi tout, docteur.

— J'ai dû vous amputer de la

jambe droite, mais j'ai un client pour votre chaussure. C'est un amputé de la jambe gauche.

•

Le curé Lagrange de Saint-Isiphore rend visite à son ami le curé Brébeuf de Saint-Damien.

Brébeuf : Dis donc, Lagrange, comment partages-tu le contenu de la quête ?

Lagrange : Facile! Je trace une ligne au sol, je lance l'argent : ce qui tombe de mon côté est à moi, ce qui tombe de l'autre côté est à Dieu. Et toi ?

Brébeuf : Oh, moi, j'ai un peu la même technique, sauf que je ne trace pas de ligne. Je lance l'argent : ce qui tombe au sol est à moi, ce qui reste en l'air est à Dieu...

•

Robert, un jeune homme un peu niais, se rend à la ville assister à une grande fête où il espère se trouver une fiancée. Il demande conseil à André.

Ce dernier lui apprend que s'il veut plaire à une jeune fille de bonne famille, il doit se rappeler qu'il y a trois sujets qu'il doit aborder : la nourriture, la famille et la philosophie. C'est simple, il n'y a que cela à se rappeler. Parler de ses goûts culinaires, c'est la faire se sentir importante. S'intéresser à sa famille, c'est prouver que ses intentions sont honorables. Et discuter de philosophie, c'est montrer du respect pour son intelligence.

Robert se rend à la fête en répétant sans cesse « Nourriture, famille, philosophie », « Nourriture, famille, philosophie »... Il finit par jeter son dévolu sur une jolie petite blonde et l'aborde :

— Bonjour, mademoiselle. Aimez-vous les spaghettis ?

— Oh non ! pas du tout !

— Euh... Vous avez un frère ?

— Non ! Qu'est-ce que c'est que cette histoire !

— Bon, bon... Mais *supposons* que vous aviez un frère : Est-ce qu'il aimerait les spaghettis ?

•

Madame Gendron : Docteur, docteur, vous devez m'aider. Mon mari se prend pour un poulet.

Le docteur : Mais c'est terrible ! Depuis quand est-il dans cet état ?

Madame Gendron : D'aussi loin que je me souvienne.

Le docteur : Mais alors, pourquoi n'êtes-vous pas venue me voir plus tôt ?

Madame Gendron : J'aurais bien voulu, mais j'avais besoin des œufs.

•

Deux aborigènes australiens sont amenés au Québec un été et ils voient pour la première fois de leur vie un adepte du ski nautique pratiquer son sport préféré sur un lac. « Pourquoi le bateau va-t-il si vite ? » demande un des deux aborigènes. « Parce qu'il est poursuivi par un fou sur une corde », répond l'autre.

•

C'est étrange, dit Arthur à Alfred, mais quand un pot de fleurs tombe d'un balcon au dixième étage d'un immeuble et que, poussé par de forts vents, il va s'écraser sur la tête du seul passant qui marchait par là à cette heure du jour, on ne parle jamais de miracle…

•

Un matin, un idiot lit son quotidien préféré avant de se rendre au travail. Une manchette lui paraît très étrange. En chemin, il se demande si ce qu'il a lu est bien vrai. Alors, pour bien vérifier, en arrivant à son travail, il passe par le kiosque à journaux et achète cent exemplaires de son journal…

•

Un nigaud roule en automobile à 160 kilomètres heure. Son compagnon lui signale qu'à son avis, c'est un peu vite. L'idiot lui répond : « Ne t'en fais pas. J'ai lu dans le journal ce matin que très peu d'accidents de la route se produisent à plus de 150 kilomètres heure. »

•

Un garçon discute avec son père :

— Quand je serai grand, j'épouserai mamie.

— C'est impossible, fiston, tu ne peux pas épouser ma mère.

— Pourquoi ? Tu as bien épousé la mienne !

•

Deux copains de régiment se retrouvent par hasard au Salon de l'agriculture, après s'être perdus de vue depuis de longues années.

— Alors, mon vieux, que deviens-tu depuis le temps ? Tu es marié ?

— Non, je suis resté célibataire !

— Mais tu as l’air à l’aise, ma foi !

— Eh oui. Je n’ai pas trop à me plaindre ! Je vis en Beauce et j’ai une belle maison au cœur d’une propriété de cent hectares : je fais de l’élevage bovin, je possède un taureau et une centaine de vaches !

— En somme, tu es heureux ?

— Oui... mais pas tant que mon taureau !

•

C’est une maman qui réveille son grand garçon :

— Henri... Henri... Il faut aller à l’école !

— Ah non ! Non ! Non, non, non !

— Allez, Henri, sois raisonnable ! Tu dois aller à l’école.

— Non ! Non, non, non et non !

— Mais enfin, Henri, tu es le directeur !

•

Toto rentre à la maison et dit fièrement :

— Aujourd'hui, j'ai eu un neuf à l'école !

— En quelle matière ?

— En chocolat !

•

— Maman, pourquoi papa a-t-il si peu de cheveux ?

— Parce que ton papa est très intelligent et qu'il pense beaucoup.

— Ah... Et pourquoi tu en as autant, toi ?

— Tais-toi et mange !

•

Un pouilleux aborde un bourgeois très pressé :

— Monsieur, je vous en supplie, donnez-moi cinq dollars, je n'ai pas encore mangé aujourd'hui.

— Vous n'êtes pas le seul, moi non plus.

— Dans ce cas, réplique l'autre, donnez-moi dix dollars et je vous invite.

•

Un homme vautré sur le comptoir du bar où il vient de passer la soirée à vider une vingtaine de verres d'apéritif sent qu'il est en train d'uriner dans son pantalon.

— C'est forcé, bredouille-t-il, que je n'arrive pas à me faire boire assez : j'ai une fuite.

•

Un homme rentre dans une oisellerie pour acheter un perroquet. Le vendeur, bien ennuyé car il n'a plus de perroquet, ne veut cependant pas rater une vente. Il lui montre à la place une chouette :

— Au début, l'oiseau ne parlera pas, il vous faudra beaucoup converser avec lui !

Le client achète la bestiole, tout content. Un mois plus tard, il revient.

Le vendeur a peur qu'il n'ait découvert sa supercherie et se dépêche de poser une question :

— Alors, cher monsieur, votre perroquet a-t-il parlé ?

— Non, pas encore, mais qu'est-ce qu'il est attentif !

•

Le dentiste à Petitmalin :

— Mais vous me payez avec un faux billet de banque !

— C'est normal, vous m'avez mis une fausse dent !

•

Quel est le comble pour un avion ?

Réponse : C'est d'avoir un antivol !

•

Deux poux sont sous un microscope.

Un des poux dit à l'autre :

— Coiffe-toi, je crois qu'on nous regarde !

•

Sur l'échafaud, le bourreau interroge le condamné à mort :

— Avez-vous quelque chose à dire ?

— Non ! Pas pour l'instant !

•

Un fou, jugé guéri, sort de l'asile et se met à la recherche d'un emploi. Il lit les petites annonces et tombe sur une offre chez Lustucru. Il se présente, mais très vite, le directeur se rend compte que ce type est bizarre. Alors, pour ne pas le vexer, il lui dit :

— Désolé, monsieur, mais nous avons déjà embauché un ancien malade qui sortait de l'asile.

— Et alors ? Qu'est-ce que ça peut faire ?

— Ah monsieur ! C'est une tradition chez nous : pas deux fêlés chez Lustucru !

•

Une dame affolée téléphone au médecin de famille :

— Docteur, je suis très inquiète... Mon mari a brutalement les oreilles grosses comme des melons !

— C'est parfait, car je n'ai pas l'habitude de me déplacer pour des prunes !

•

Une charmante vieille dame se rend chez son dentiste.

— Docteur, je ne sais plus quoi faire. Je souffre des dents toutes les nuits.

— Rien de plus facile, chère madame ! Ne dormez plus ensemble !

•

Un souriceau qui n'avait jamais quitté son trou s'aventure un jour dans le grenier. Soudain, un bruit l'inquiète. Il lève la tête et aperçoit juste au-dessus de lui une grande chauve-souris. Le souriceau effrayé s'enfuit et se réfugie auprès de sa mère :

— Maman, maman ! J'ai vu un ange !

•

Un monsieur entre dans un magasin de vêtements.

— Bonjour, monsieur. Je voudrais essayer ce costume dans la vitrine.

— Dans la vitrine ? s'inquiète le vendeur. Vous ne préféreriez pas l'essayer dans la cabine ?

•

— Moi, dit une dame à un ami, quand je vais chez un nouveau médecin, je commence par observer soigneusement les plantes qui se trouvent dans la salle d'attente. Si elles sont en bonne santé, alors je sais que je peux lui confier la mienne.

•

Dans une clinique privée, le chirurgien demande à son patient qu'il va opérer :

— Je vous demanderais de bien vouloir me régler d'avance.

— Mais pourquoi d'avance ? Docteur ! Vous n'avez pas confiance en moi ?

— Ce n'est pas ça ! Mais comment voulez-vous que j'opère en toute sécurité si je tremble de ne pas toucher mon argent ?

•

Une ravissante jeune femme entre dans une boutique de luxe, essaie plusieurs robes, en choisit une, mais lance :

— Je l'achète si vous faites une petite retouche !

— Mais bien sûr, et où ?

— Sur le prix !

•

Docteur, dit un patient, j'ai avalé une pièce de 10 sous l'année dernière.

— L'année dernière ? Mais pourquoi n'êtes vous pas venu me voir ?

— Bien, c'est que jusqu'à présent je n'avais pas eu de soucis d'argent.

CONCOURS

Tu dois connaître, toi aussi, de courtes histoires drôles. Alors, pourquoi ne pas nous en faire parvenir quelques-unes ?

Parmi celles reçues, certaines seront retenues pour publication et l'auteur(e) recevra une surprise.

Participe le plus vite possible et envoie tes histoires drôles à :

CONCOURS HISTOIRES DRÔLES
Les éditions Héritage inc.
300, rue Arran
Saint-Lambert (Québec)
J4R 1K5

Nous avons hâte de te lire !

À très bientôt donc !

Achevé d'imprimer en février 2001 sur les presses de
Payette & Simms inc. à Saint-Lambert (Québec)